FO

ISBN : 978-2-07-065591-5

N° d'édition : 255167
Loi n° 49-956 du 16 juillet 1949 sur les publications destinées à la jeunesse
Dépôt légal : octobre 2013
Imprimé en Espagne par NOVOPRINT (Barcelone)

Fanny Joly

Cucu la praline met son grain de sel

illustré par Ronan Badel

GALLIMARD JEUNESSE

Regardez-les bien,
ils sont dans ces histoires

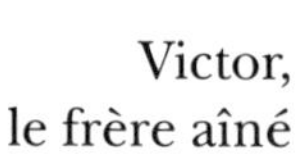

Victor,
le frère aîné

Jean-Maxime,
le deuxième frère,
dit Mad Max, ou JM

Angèle Chambar dite
Cucu la praline

Kévin Truffe,
son amoureux

Monsieur et Madame
Granet

Chloé,
la meilleure
copine d'Angèle

Monsieur Houille,
le directeur
de l'école

Sommaire

1. Cucu mène l'enquête

Chapitre 1 : Angèle, au tableau !

Avant, je croyais que le mot « monotone » venait du mot « automne ».

Ou l'inverse : « automne » de « monotone », ça revient au même.

Enfin, presque…

J'ai cru ça jusqu'au jour d'automne où Mlle Pointu, la maîtresse, m'a appelée au tableau en disant :

– Angèle Chambar (c'est mon nom, ceux qui ne me connaissent pas, retenez-le bien. Pour me faire enrager mes frères me surnomment « Cucu La Praline ». Oubliez ce surnom, je le déteste...), peux-tu venir nous écrire le mot « monotone », s'il te plaît ?

Je suis montée sur l'estrade. J'ai pris la craie qu'elle m'a tendue et j'ai écrit sans hésiter :

monautomne

J'aime bien écrire au tableau. Sauf quand la craie dérape et crisse et que tous mes poils et ceux des copains de la classe se hérissent (et peut-être même ceux de la maîtresse...). Heureusement ce n'est pas arrivé. Ce qui est arrivé n'est pas mieux, ceci dit.

Mlle Pointu s'est plantée devant moi, les mains sur les hanches :

– Et voilà ! Tu m'as fait trois fois la faute dans ton expression écrite !

La faute ? Quelle faute ? Aucune idée !

– « Monotone » ça s'écrit pas DU TOUT comme ça ! s'est tortillée Édith Filin (moi je l'appelle Édith-La-Peste), comme si elle était championne du monde d'orthographe.

Je lui ai fait signe : « ferme-la ! » en repliant ma main en forme de bec de canard (mes frères me le font tout le temps) :

– Oh ça va Édith hein, tu croyais bien que « paragraphe » s'écrivait avec un F et que ça servait à ôter les agrafes !

La maîtresse a froncé les sourcils :

– Épargnez-nous VOS remarques, Mademoiselle Chambar, je VOUS prie !

Quand elle nous vouvoie c'est TRÈS mauvais signe.

Et bingo ! J'ai eu 30 fois à copier :

MONOTONE, adjectif : ennuyeux en raison de son aspect répétitif et peu varié.

Merci La Peste ! Si Édith s'était tue, je me serais tue aussi et ça m'aurait coûté moins cher, parce que dans le genre *répétitif et peu varié*, copier TRENTE fois : *MONOTONE, adjectif*…

Bref.

Pourquoi est-ce que je parle de ça ?

Ah oui ! Parce que l'histoire que je veux raconter se passe en automne. Un automne justement totalement 100 % monotone.

Des preuves ?

☾ Tous les jours : du froid ou du vent ou

de la pluie et certains jours, les trois en même temps !

- À l'école, tous les jours des interrogations surprises. À ce compte-là, je ne vois pas où est la surprise.
- À la maison : mes frères m'embêtent TOUS LES JOURS.

Des exemples ?

Le LUNDI, Victor (11 ans) dit que je ressemble à un ravioli. « Pas frais », ajoute Jean-Maxime (9 ans, on l'appelle aussi JM).

Le MARDI, ils cachent Machouillou (mon lion-doudou-adoré) au fond du panier de linge sale. Quand je réussis enfin à le retrouver, ils m'expliquent que puisque je dis qu'il sent bon alors qu'il pue, il va sentir encore meilleur vu qu'il va puer plus que jamais.

Le MERCREDI, ils me font croire qu'ils restent à la maison (au lieu d'aller au foot) pour voir « Kévinounet » (affreux nom qu'ils ont inventé pour Kévin Truffe, mon garçon préféré de l'école, qui passe devant chez nous pour aller à sa leçon de violon).

Le JEUDI, pendant que je suis aux toilettes, ils mettent du sel dans mes Corn Flakes.

Le VENDREDI, ils attachent les lacets de toutes mes chaussures ensemble…

Et ainsi de suite... Ils n'arrêtent jamais.

Mais brusquement, la MONOTONIE s'est arrêtée.

C'était un lundi. Il pleuvait. JM et moi on est arrivés à l'école ensemble. On se dirigeait chacun vers notre classe (il est en CM1, moi en CE2), quand Mme Moutardier, l'infirmière-bibliothécaire, nous a barré le passage au pied de l'escalier :

– C'est par là que ça se passe ! elle a dit en montrant la cour.

Dehors, c'était bizarre-bizarre.

M. Houille, le directeur qui intimide tout le monde (même les maîtres) était debout sur une table, sous un parapluie tenu par Franky, le professeur de sport. Il avait l'air encore plus grognon que d'habitude (je parle du directeur, Franky, lui, a toujours le sourire) et tenait un porte-voix, comme dans les manifs qu'on voit aux infos.

Mlle Fleury la maîtresse des CP, M. Gonzalo le maître des CE1, Mlle Pointu, M. Popescu le maître des CM1 et Mme Grattenez la maîtresse des CM2 se tenaient autour de la table. Les élèves alignés en face, en rangs par classe. On a rejoint nos groupes. Kévin était au premier rang des CM1. Il m'a adressé un coucou discret.

– Un deux trois… Un deux trois… Un deux trois… a fait le directeur pour tester son haut-parleur.

Puis il a répété trois fois (aussi) qu'il attendait le silence complet, alors que personne ne parlait et qu'on se mouillait comme des pingouins…

Enfin, il a annoncé :

– Il s'est passé une chose TRÈS GRAVE !

J'ai pensé que quelqu'un était mort. Un maître ? Non : je les voyais tous vivants sous mes yeux. Un élève ? Mon cœur s'est mis à cogner…

– Ce matin à 7 h 37, a continué M. Houille, lorsque je suis arrivé dans l'établissement, j'ai constaté avec horreur qu'un acte de profanation avait été commis sur le buste de notre Maître, notre Guide, notre Bienfaiteur : Joël Jambon !

Chapitre 2 : Alerte rouge

– Cha veut dire quoi : « profanachion » ? a demandé Rosita à la fin du discours de M. Houille (Rosita Pilon est dans ma classe, elle rêve tout le temps, en suçant son pouce, souvent avec un chiffon…).

Mlle Pointu n'a pas répondu. Elle avait sa tête de crispée. L'ambiance ne me disait rien de bon. On a monté l'escalier. Sur le palier du 1er étage, il y avait une grosse bousculade autour du buste de

Joël Jambon. Manque de chance : on ne voyait rien, il était recouvert d'une housse en plastique comme celles que Papa met sur ses plantes quand il gèle (mes parents sont fleuristes). Grégoire Defert (le plus bagarreur des CM2) sautait partout en mimant un boxeur :

– QUI a cassé la tête à Joël Jambon ? Pif ! Paf ! Boum ! Chonk ! Rakatapoum !

– Moi mon frère dans son collège, a embrayé Édith-La-Peste, y en a qu'ont tagué des trucs horribles, des trucs qu'il faut surtout pas répéter, par exemple « ta mère à poi... »

Mlle Pointu a secoué le bras d'Édith, un peu comme Mémé Chambar (ma grand-mère) avec son panier à salade.

– Tais-toi ! Tu m'entends ? TU TE TAIS ! elle a hurlé.

Édith s'est tue. Tout le monde aussi. On était impressionnés.

Et pas que nous. M. Popescu est sorti de sa classe. Il s'est approché de Mlle Pointu et lui a glissé à l'oreille :

– Ça va, Alexandra ?

J'étais juste à côté. Depuis le temps que je voulais savoir le prénom de la maîtresse, il m'est tombé tout cuit ! Je n'imaginais pas ce prénom-là. Alexandra. C'est plutôt une danseuse, une star, une princesse, non ?

– Ça va… PARFAITEMENT BIEN ! a menti Alexandra Pointu.

Puis elle a tapé dans ses mains et nous a dit d'aller en classe.

« Et en vitesse », elle a ajouté.

Dès qu'on a été assis, Rosita a reposé sa question :

– Cha veut dire quoi : « profanachion » ?

– J'y viens ! a répondu la maîtresse. Une profanation est un geste de vandalisme, une dégradation volontaire. Par exemple,

Rosita, si je prends ton chiffon-suce-pouce et que je le trempe dans… dans…

– … de la bouse de vache ? a lancé Youssef, mon voisin qui n'a peur de rien.

La maîtresse a hoché la tête :

– Dans de la bouse de vache, admettons, ce serait une profanation !

Rosita a vite caché son chiffon chéri dans sa manche.

– Autre exemple : si je m'empare du ballon de football de Youssef et que je le crève d'un coup de ciseaux !

– Han ! ? ! a fait Youssef, comme s'il recevait le coup dans le ventre.

– Hé oui ! Ça te ferait mal, Youssef ! Hé bien de la même façon, l'acte qui a été commis sur le buste de Joël Jambon fait TRÈS MAL à notre école : quelqu'un a affublé notre Maître, notre Guide, notre Bienfaiteur… d'un nez de clown !

– Cha veut dire quoi « affublé » ? a recommencé Rosita (avec son pouce, sans son chiffon).

Mlle Pointu a levé les yeux au ciel. Xavière Cerveau (1re de la classe et chouchoute N° 1) a levé le doigt :

– Ça veut dire qu'on lui a collé un nez rouge !

– Pire que ça, ma petite Xavière : le nez rouge a été PEINT ! Sur la pierre, il se peut que ce soit INDÉLÉBILE !

– Cha veut dire quoi « indélébile » ?

Pas la peine de préciser qui a posé cette question.

– Ça veut dire que c'est des débiles qu'ont fait ça Rosita ! s'est écrié Youssef.

– FAUX ! a corrigé Mlle Pointu. « INDÉLÉBILE » signifie : que l'on ne peut pas effacer !

La maîtresse nous a regardés fixement. Longtemps. Ses 2 yeux dans nos 46 (on est 23). Puis elle a dit d'un ton grave :

– Si le coupable est dans cette classe, je veux qu'il se dénonce. Je vais appeler vos noms. Un par un. Vous répondrez: « COUPABLE » ou « NON COUPABLE ».

Il y a eu 23 NON COUPABLE. J'ai eu peur de rougir et que la maîtresse me soupçonne. Je rougis assez facilement, surtout quand il ne faut pas. Heureusement, la seule qui a rougi, c'est Xavière. Elle ne risque rien : Mlle Pointu ne soupçonnera jamais sa chouchoute…

La maîtresse a déplié une feuille et a écrit au tableau :

BIOGRAPHIE DE JOËL JAMBON

– Cha veut…

– Ça veut dire : HISTOIRE DE SA VIE ! a coupé Mlle Pointu. Ordre du directeur : vous allez copier sur votre cahier d'exercices le texte que je vais écrire au tableau et vous le recopierez chaque jour, jusqu'à ce que le ou les coupables se soient manifestés !

C'est parti !

La biographie a rempli 3 fois le tableau et 5 pages de mon cahier. On copiait comme des dératés. Moi qui ne savais pas qui était Joël Jambon, j'ai appris TOUT sur lui depuis sa première chemise jusqu'à son dernier soupir. Champion de gymnastique. Fabricant de brouettes. Chercheur de champignons. Joueur de trompette. Et surtout maire de Rigoville (la ville où j'habite) de 1987 à 2003. Alors là, il s'est déchaîné : il a fait la gare routière, la salle des fêtes, le rond-point des Goélands, celui des Cyclamens, de la Croix-du-Fou, de l'Arbre-en-Boule et encore des milliers d'autres trucs. Il a même offert le terrain où on a construit notre école. C'est pour ça qu'elle s'appelle comme lui. Pire que Charlemagne, ce Joël Jambon !

Chapitre 3 : Comme une tomate

Quand la récré a sonné, on avait des crampes dans les mains (à force d'écrire, vous vous en doutez). Mais au lieu de sortir se défouler, on a vu entrer M. Houille. Il a recommencé un discours de catastrophe parce que personne, dans toute l'école, ne s'était avoué COUPABLE…

Soudain, au milieu d'une phrase et de l'estrade, le directeur a buté dans la poubelle, son pied s'est retourné et là, illumination, sous sa semelle, qu'est-ce que j'ai vu ? Une tache ROUGE ! Mes pensées sont parties en vrille… Et si c'était une tache… de peinture ? Et si c'était lui, M. HOUILLE, le coupable ? Des chefs-directeurs-ministres-présidents qui font des sales coups en douce, y en a plein les journaux, pas vrai ?

À la sonnerie de midi, je me suis jetée sur Chloé (ma meilleure amie) :

– T'as vu ce que j'ai vu ?

Elle m'a regardée, les yeux ronds :

– Quoi donc ?

OK. Elle n'avait rien capté. Je l'ai mise au courant de mes soupçons. Ses yeux sont devenus encore plus ronds :

– Mais pourquoi M. Houille aurait fait ça ?

– C'est LA question ! Il peut y avoir plein de raisons ! Pour se rendre intéressant ? Pour faire accuser l'un d'entre nous ? Pour régler un vieux compte ?

Peut-être que Jambon, autrefois, lui a vendu une brouette cassée, piqué sa trompette, fait manger un champignon pourri ? Pour le savoir il faut EN-QUÊTER ! On va suivre Houille ! Espionner ce qu'il fait ! Chercher des indices ! Tu marches avec moi, ou pas ?

– D'accord, a dit ma copine (j'adore quand elle m'obéit sans faire d'histoires). En plus je sais où il habite, allée Risque-Tout, pas loin de chez moi...

J'ai bondi de joie.

– SUPER BON signe ! Pourquoi tu me l'as jamais dit ?

– Je pensais pas que ça t'intéressait...

– C'est vrai que jusque-là, ça ne m'intéressait pas.

À 16 h 30, on a filé comme des fusées avant que Jean-Maxime nous voie. Pas question de rentrer avec mon frère (à cette heure-là, mes parents sont encore au magasin, c'est pratique, ils ne nous voient pas arriver à la maison alors que le matin, ils nous regardent partir...).

Dans ma chambre, j'ai tout ce qu'il faut pour mener des enquêtes :

- Mallette
- Loupe
- Lampe-torche
- Carnet/crayon
- Canif
- Corde
- Mètre pliable
- Pince à épiler
- Boîte à indices
- Plan de Rigoville

On a mis des tenues spéciales pour que personne ne nous reconnaisse :

Moi : cagoule de ski qui laisse juste une fente pour les yeux + doudoune mauve de Maman (je retrousse les manches, ça me fait un manteau, c'est parfait).

Chloé : veste de ciré jaune de Vic + casquette de base-ball de JM + lunettes noires de Papa.

On longeait discrètement le square des Champions quand, derrière nous, quelqu'un a crié :

– Hééé ! Ma casquette !

Pas besoin de me retourner pour reconnaître la voix de JM.

J'ai pressé le pas et ordonné à Chloé d'en faire autant.

– Ben pourquoi ?

– Je t'expliquerai ! Accélère, nom d'un chien !

– Quel chien ?

– T'es bête ou tu fais sem…

Pas eu le temps de finir. Mad Max (2e surnom de JM, ça veut dire fou-dingo, ça lui va comme un gant) a surgi devant nous :

– Vous faites quoi avec MA casquette ?

Si la casquette avait été sur ma tête, il l'aurait arrachée.

Sur Chloé, il n'a pas osé (elle est la plus jolie de l'école, mes frères sont babas devant elle).

– On EN-QUÊ-TE, je te ferai dire !

Il est parti d'un gros rire :

– Ha ha ha ! Vous EN-QUÊ-TEZ ! Et sur quoi ? On peut savoir ?

– Sur la profanation du buste de Joël Jambon ! on a répondu d'une seule voix.

Les joues de mon frère sont devenues rouges alors qu'il ne rougit jamais. Ça m'a mis la puce à l'oreille.

– Pourquoi tu rougis ? j'ai dit.

À ces mots, il a rougi comme… une TOMATE, carrément :

– Je… je… rougis pas ! il a bredouillé en se dandinant d'une façon bizarre… comment dire… pas très catholique.

Et hop, il fait demi-tour pour s'en aller. J'ai sorti la corde de ma mallette et j'ai crié :

– Chloé, bloque-le !

Elle a été excellente. Elle a foncé, elle l'a doublé, elle s'est retournée, face à lui, bras écartés, pour lui barrer la route. Il ne s'y attendait pas. Il a titubé. J'en ai profité pour l'attraper avec ma corde, façon lasso-rodéo, un peu comme l'Inspecteur Cyclone avec l'ignoble Ratiboize dans « J'AURAI TA PEAU ».

Une fois ficelé, j'ai forcé mon frère à s'asseoir sur le muret du square :

– Ce serait pas TOI le coupable par hasard ?

Il a blanchi :

– Qu'est-ce que ça peut te faire ?

– Comment ça : « qu'est-ce que ça peut me faire » ? Tu crois que ça m'amuse de recopier la sale biographie de Joël Jambon ? Et tous les autres de l'école pareil ? Pas vrai, Chloé ?

– Ben... Euh... elle a fait, l'air gêné.

Chloé écrit bien. Elle adore écrire. Elle a plein de stylos de plein de couleurs. Ça ne la dérange pas de recopier des pages et des pages. JM agitait ses jambes :

– Et comment tu le saurais, d'abord ?

– Comment je le saurais QUOI ?

– Que j'aurais fait le coup du nez de clown de Jambon ?

Je me suis sentie aussi indomptable que l'Inspecteur Cyclone en personne :

– C'est MOI qui mène l'enquête ! C'est MOI qui pose les questions ! Et ce que je voudrais savoir maintenant c'est : ça te dit quelque chose l'HONNÊTETÉ, dans la vie ? La FRANCHISE, t'as déjà entendu parler ? Alors t'attends QUOI pour te dénoncer ?

– Et si j'ai PAS envie de me dénoncer ?

– Dans ce cas, méfie-toi mon p'tit vieux !

Chapitre 4 : Super détectives

J'ai lâché ma corde, empoigné le bras de Chloé et on est parties comme deux super détectives. Pas pour longtemps, malheureusement : juste après le square, Chloé s'est arrêtée :

– Tu y vas fort, Angèle, quand même !

– Hein ! ? ! j'ai sursauté.

– Faut pas accuser sans preuves…

– T'as vu la tête de ce crétin de JM ? Un vrai gyrophare ! Ça te suffit pas comme preuve ? !

– Il est pas crétin Jean-Maxime, moi je le trouve rigolo et…

Je me suis bouché les oreilles :

– Arrête ! Mes frères sont 2 AFFREUX ! Avec tout ce que je te raconte sur eux, t'as pas encore capté ?

– Tu ne vas pas dénoncer TON FRÈRE, quand même ?

– S'il ne le fait pas lui-même, je m'en chargerai, sans problème !

Elle m'a regardée, comme… écœurée :

– Par moments tu es… tu es… AFFREUSE, Angèle !

Affreuse, moi ? Trop c'est trop.

– Si c'est ça enquêter ensemble entre copines, merci, ciao !

Je suis partie. Je pensais qu'elle allait me retenir. Mais non. Tant pis pour elle.

Le soir, à la maison, je n'ai parlé à personne. De toute façon, j'étais occupée avec la biographie de Joël Jambon. Mad Max aussi, je suppose. Il ne m'a pas dit un mot. J'ai retrouvé ma corde de détective bien repliée sur mon bureau. Papa et Maman ont dit que ça faisait du bien, un dîner calme. « Le calme avant la tempête ? » j'ai pensé dans ma tête.

Le lendemain matin, sur le chemin de l'école, dès qu'on a été hors de vue des parents, JM est parti au galop. Quand je suis arrivée, il m'a semblé apercevoir mon frère dans le bureau du directeur. La porte de M. Houille était entrouverte. Sa voix m'a stoppée net :

– Et POURQUOI as-tu commis cet acte infâme ?

– J'ai fait… un … un… tépakap… avec U… avec U… Ugo ! a bafouillé JM.

– Quel Ugo ? Il y en a 9 dans l'école ! Et qu'est-ce qu'un « tépakap » je te prie ?

Mon frère a expliqué que c'est un défi (pas très difficile à deviner!) et qu'en échange Ugo lui avait donné un autographe de Maboulélé. Le directeur ne connaissait pas Maboulélé non plus. Il n'est pas très au courant: Maboulélé est une star du foot, même moi je le sais! Là-dessus, Houille a jailli de son bureau comme un diable à ressort de sa boîte. J'ai juste eu le temps de me cacher.

– Minais Ugo! Ugo Minais! Minais Ugo! il criait comme s'il y avait le feu.

Ugo est arrivé plus vite que les pompiers, le nez en l'air, avec son petit air de gros vantard:

– Oui! Qu'est-ce qu'il y a?

– C'est MOI qui pose les questions! a coupé le directeur.

(La même phrase que moi! Il me copie? À moins qu'il regarde l'Inspecteur Cyclone, lui aussi?)

Wwwooofff, ça lui a rabaissé son caquet, à Minais Ugo ! Et ce n'était que le début. Le savon qu'ils se sont pris, JM et lui ! J'avais de la peine pour eux. Quand Ugo a expliqué que son autographe n'était même pas un vrai, qu'il avait imité la signature de Maboulélé, j'ai cru que M. Houille allait s'étrangler :

– Association de malfaiteurs ! Faux en écriture ! En plus de profanation ! On

aura tout vu ! Mais dans quel monde, dans quel monde vit-on ? Moi quand j'avais votre âge mes petits gars…

C'était reparti pour un moment. J'ai préféré m'éclipser sur la pointe des pieds.

Dès que je suis entrée en classe, Chloé est venue vers moi, tout inquiète :

– Tu l'as dénoncé ?

– Pas eu besoin : la menace a suffi, il l'a fait tout seul…

Elle m'a tendu la casquette, le ciré et les lunettes :

– Tiens, je te rends les affaires que tu m'as prêtées.

Il y a eu un silence.

– Tu es calmée ? On fait la paix ? j'ai demandé.

– Bon ben d'accord… J'espère que la punition ne sera pas trop sévère pour ton frère, elle n'a pas pu s'empêcher d'ajouter.

– Pfff, t'es amoureuse ! je n'ai pas pu m'empêcher de répliquer.

Elle m'a pincée. Doucement, pour rire.

La punition, en revanche, n'a pas été pour rire. Une punition simple… et terrible :

1. Remettre le buste tel qu'il était.

2. Avoir fini avant 18 heures le lendemain, mercredi.

La nouvelle a circulé comme une traînée de… peinture. À la récré, tout le monde était au courant. JM et Ugo paniquaient :

– Comment on va faire ? Comment on va faire ?

Chloé a posé sa main sur le bras de mon frère :

– Mon pauvre Jean-Maxime !

Et puis quoi encore ? On va pas pleurer quand même ?

C'est là que Kévin est arrivé :

– La peinture que tu as utilisée, Jean-Maxime, c'est de la Taminajiyo Color Acrylic Fizz Spécial Maquette, non ?

JM a piqué du nez :

– Oui...

Ça a fait tilt dans ma tête :

– Okééé, tu l'as piquée à Victor, de mieux en mieux !

(Notre grand frère fait des maquettes d'avions. Kévin aussi apparemment. Je ne le savais pas, je ne sais pas TOUT de lui, hélas...)

– Tu sais comment ça s'enlève ? a continué Kévin, digne et calme comme un héros.

– Non...

– Il faut utiliser le diluant de la marque Taminajiyo uniquement. Rien d'autre. C'est un alcool éthylique mélangé à du méthanol, dans les proportions de 95/5, avec adjonction d'un dénaturant toxique à haute dose. Ensuite, je te conseille un passage à l'eau de Javel. Et pour les finitions : papier de verre. Tu as tout ce qu'il faut ?

– Euh…

– Bouge pas, je vais chercher ça chez moi, je reviens.

Je n'ai pas bougé non plus, bien entendu. On s'y est mis, tous les cinq : moi, Kévin, JM, Chloé et Ugo (zut, j'ai encore oublié de me citer en dernier, si Mémé Chambar lit cette histoire, elle va me gronder).

M. Houille nous tournait autour. Prêt à bondir si on faisait une boulette…

Croyez-le si vous voulez, il n'a pas bondi, ça a marché impeccable.

– Bien ! a reconnu le directeur après avoir inspecté le buste de Joël Jambon sous toutes les coutures. C'est propre, j'avoue. Vous avez montré beaucoup de

bonne volonté. Kévin, en particulier, a fait preuve d'un esprit de solidarité exemplaire. Je crois qu'on va pouvoir oublier ce fâcheux épisode…

JM et Ugo Minais se sont tapé dans la main comme s'ils venaient de marquer un but. Quels boulets !

Sur le chemin du retour, après toutes ces émotions, JM et moi on a marché côte à côte, pour une fois.

J'en ai profité pour lui remettre les pendules à l'heure. Du moins, essayer :

– T'as vu ça, « Kévinounet » comme vous dites, hein ? Vous vous payez sa tête, mais vous ne lui arrivez pas à la cheville ! Il n'est même pas rancunier. Tu fais des dégâts, il les répare. Il a LA CLASSE, la PURE CLASSE, voilà la vérité !

– Pfff, t'es amoureuse ! n'a pas pu s'empêcher de pouffer mon frère.

Je l'ai pincé. Fort, pas pour rire…

2 Papoustache

Chapitre 1 : Merveilleux mercredi

Vous, je ne sais pas comment est votre vie. Moi la mienne est compliquée, souvent. Voilà la liste des choses qui compliquent ma vie :

- Mes parents qui n'arrêtent pas de travailler. Du coup ils sont fatigués. Du coup ils s'énervent pour pas grand-chose.
- Mes frères qui n'arrêtent pas de m'embêter. Du coup, forcément, je pleure. Du coup ils se font gronder. Du coup ils se vengent dès que Papa et

Maman ont le dos tourné. Du coup je pleure encore plus fort. Et ainsi de suite…

☚ Comme complication j'ai aussi la maîtresse qui n'arrête pas de donner du travail. Et le travail qu'elle donne n'arrête pas de me donner des soucis. Du coup j'ai des mauvaises notes. Et QUI se fait gronder ? BIBI *of course* ! (Bibi ça veut dire « MOI » et *of course* ça veut dire « évidemment » en anglais. Mlle Pointu, la maîtresse, nous apprend l'anglais de temps en temps, j'en reparlerai peut-être un de ces jours, il ne faut pas tout mélanger…)

☚ Par là-dessus, il y a ma chambre qui n'arrête pas de se mettre en désordre. Et QUI doit la ranger ? BIBI encore !

Je pourrais continuer longtemps…

Même la météo s'y met pour me compliquer la vie. L'autre jour, par exemple, je décide de mettre mon manteau rose + mes bottes roses fourrées toutes neuves (j'adore le rose). Et là, toc, il fait une chaleur zinzin, je cuis comme une crêpe dans une poêle.

Du coup, le lendemain, je mets ma belle robe de princesse à pois*.

Et là, plof, il pleut des seaux d'eau. Et là, crac, Maman me dit d'aller chercher le pain. Du coup je veux prendre mon parapluie (à fleurs roses, que j'adore). Je le cherche dans toute la maison : impossible de le retrouver. Je finis par demander à Maman si elle a vu mon parapluie que j'adore. Et là, bam, elle me répond que si je l'adore tant que ça je n'ai qu'à le ranger correctement comme ça je saurais où il est. Et au lieu de me consoler ou d'aller m'en acheter un autre, elle m'ordonne d'enfiler le vieux coupe-vent de Jean-Maxime (mon frère de 9 ans) qui

* Voir : *Cucu la praline se déchaîne* (Folio Cadet n° 601).

gratte qui est moche et qui sent mauvais (je parle du ciré).

Voilà à quoi ressemble ma vie. Enfin, souvent.

Mais pas tout le temps, quand même, heureusement.

Il y a des moments, des petits moments, où ma vie devient belle. Brusquement, les ennuis disparaissent comme des nuages chassés du ciel par un grand vent. Ces moments-là sont ma-gni-fi-ques. Il faut en profiter à fond.

Le mercredi de printemps où cette histoire a commencé était un jour de ce genre : un jour de joie. Le soleil brillait comme un diamant jaune.

Le ciel était bleu comme une piscine turquoise. Mes frères étaient partis au foot *une heure en avance*, quelle chance, bon débarras !

Du coup j'avais eu le temps de me pomponner pour guetter Kévin.

Je m'étais tressé des petites nattes qui partaient dans tous les sens autour de ma tête, ça faisait super chouette. J'avais fabriqué une citronnade grand luxe avec de l'eau pétillante et plein de sucre (j'adore le citron, c'est mon parfum préféré). J'avais même eu le temps d'aller chez Ali (l'épicier d'à côté) acheter un paquet de gaufrettes à la vanille avec les 4 € que Mémé Chambar (ma grand-mère) m'a donnés pour avoir balayé partout chez elle (Kévin adore la vanille, c'est son parfum préféré).

À deux heures quarante-cinq, il est passé devant la maison en allant à sa leçon de violon, comme d'habitude. J'ai fait semblant d'être en train de cueillir des fleurs (c'est romantique) et je lui ai fait un petit signe de la main. À l'aller, il est toujours pressé. Je ne veux pas abuser. La merveille a commencé sept minutes plus tard : Kévin est repassé, dans l'autre sens ! J'ai couru vers lui :

– Ben qu'est-ce qui se passe ? Ta leçon de violon est déjà finie ?

Il s'est accoudé à la barrière :

– Tata Claudette est malade !

(C'est sa tante qui lui apprend le violon).

– Rrroooh zut alors ! j'ai dit comme si ça me faisait de la peine. Pas trop grave j'espère ?

– Une gastro, fulgurante : elle n'a même pas eu le temps de téléphoner pour me dire de ne pas venir !

J'ai caché ma joie. Si elle lui avait téléphoné, il serait resté chez lui…

– Tu es libre, alors ?

Il m'a souri :

– Oui ! Je peux entrer ?

La suite a été tout aussi merveilleuse. On a dégusté le goûter au soleil. On n'avait pas spécialement faim mais on était tellement bien… On parlait de tout et de rien. De ping-pong (il joue très-très bien). De karaoké (une de mes passions). De violon. Je n'aime pas trop sauf quand c'est lui qui en joue. Il m'a joué le morceau qu'il apprend en ce moment. Un truc très ancien, trop bizarre. Quand il a terminé, comme je n'aimais pas du tout, j'ai dit qu'il fallait sans doute l'écouter plusieurs fois pour apprécier et du coup il me l'a re-joué et re-re-joué. J'aurais préféré « VALSE SOUS LA LUNE* », l'air qu'il a interprété au récital Violon Passion, mais je n'ai pas osé lui demander. J'ai dévié la conversation sur ce qu'on aimerait faire l'été prochain.

★ Lui : assister à des festivals de musique classique et faire de grandes marches dans la montagne.

★ Moi : participer à un stage de karaoké, ou de jonglage, ou de cirque, ou de coiffure, ou de plongée sous-marine, ou de maquillage, ou d'escalade, ou de n'importe quoi, en fait... pourvu que ce soit SANS mes frères.

Comme il était bientôt cinq heures et que Victor et JM (mes frères justement) n'allaient pas tarder à rentrer, j'ai proposé à Kévin de le raccompagner chez

* Voir : *Cucu la praline se déchaîne* (Folio Cadet n° 601).

lui. En chemin, on a parlé de nos rêves dans la vie. Et là, je ne l'oublierai jamais, au coin de la rue des Écrevisses, il m'a confié :

– Moi mon rêve, ce serait d'avoir une petite sœur ou un petit frère (il est fils unique).

– Tu serais un frère ex-tra-or-di-nai-re ! je me suis écriée.

– Merci Angèle, il a soupiré.

Il y a eu un silence. Si j'avais un frère comme Kévin au lieu de mes deux affreux, ma vie serait… merveilleuse ! je me suis d'abord dit. Mais s'il était mon frère, je ne pourrais plus être amoureuse de lui, j'ai pensé ensuite. Donc finalement, je préfère qu'on reste comme on est…

Soudain, ses yeux sont devenus brillants comme s'il allait pleurer :

– Ça a failli m'arriver. L'année dernière, ma maman attendait un bébé et puis… ça n'a pas marché.

Et il a pleuré pour de vrai.

Chapitre 2 : Cinq frères, au secours !

En rentrant à la maison, j'étais bouleversée à fond.

Jamais je n'aurais imaginé voir un jour Kévin pleurer.

Je revoyais sans arrêt la scène qui venait de se passer : quand j'avais voulu le consoler en lui disant que sa Maman attendrait peut-être un autre bébé un de ces jours, il s'est mis à pleurer dix fois pire : non, ses parents lui avaient clairement expliqué que sa mère n'attendrait plus jamais de bébé, c'était fini, cuit, terminé...

Ça m'a coupé le sifflet. J'étais à court d'idée consolante.

J'ai posé ma main sur son bras en me forçant à sourire :

– Allez Kévin, ne sois pas triste, la vie est belle, quand même, quelquefois...

Il a essuyé son nez avec le revers de sa manche (ça montre à quel point il se sentait mal, Kévin ne fait jamais ce genre de geste dégoûtant d'habitude) :

– Bon. Il est six heures passées, il faut que j'y aille.

Et il a tourné les talons. De quoi être bouleversée à fond, non ?

Quand j'ai poussé la barrière de la maison, Mad Max s'est jeté sur moi comme si le jardin était un terrain de foot et moi un ballon :

– Vas-y, elles sont où, les gaufrettes ?

Victor (mon frère de 11 ans) courait derrière en agitant l'emballage vide :

– T'as tout boulotté avec Kévinounet ?

Déjà en temps normal je déteste ce surnom ridicule mais alors là…

– Taisez-vous, bande de crétins idiots !

Ces gaufrettes, je les ai achetées avec MON argent ! j'ai rugi comme une tigresse.

Ils se sont mis à ricaner :

– Rrrooohhh ! Mademoiselle achète ses petites gaufré-frettes personnelles !

– Avec ses petites pé-pé-pettes personnelles !

– Pour manger avec son petit Kévinounet Truffounet adoré !

– Cucu la Praline ! Cucu la Radine !

Mon sang a bouillonné comme une bombe atomique.

– Vous n'avez PAS LE DROIT ! Faites gaffe : je vais vous enregistrer avec mon Kit-Karaoké ! Un mot de plus et je vous cafte jusqu'à la fin des temps, CAPTÉ ?

Papa et Maman leur interdisent de m'appeler C… la P… Ça ne les empêche pas de le faire. Le coup de les enregistrer, ça les a refroidis sur place. Je me demande pourquoi je n'y avais pas pensé plus tôt.

Ils ont ravalé leurs sales paroles et disparu jusqu'au dîner.

Au dîner, j'ai lancé une question qui me trottait dans la tête :

– On pourrait avoir une petite sœur ou un petit frère, nous ?

Victor a répondu avant Papa et Maman :

– Ce serait chouette ! À condition que ce soit un FRÈRE !

– Ah ouais ! Trop super ! Des jumeaux garçons ! Des triplés garçons ! Trop méga-super ! a applaudi JM.

Je me suis bouché les oreilles :

– CINQ frères, au secours ! Plutôt mourir !

Maman a froncé les sourcils :

– Ça suffit ! Finissez vos assiettes au lieu de dire n'importe quoi !

– Ce n'est pas vous qui décidez, de toute façon… a ajouté Papa.

– Fille ou garçon, nous n'avons jamais eu de préférences et nous n'en aurons jamais ! a précisé Maman.

– Absolument ! a approuvé Papa.

Mes frères ont piqué du nez. Moi je n'ai rien dit non plus, bien que… en vérité, si nos parents font un bébé, je préférerais mille milliards de fois que ce soit… une FILLE, par pitié !

Cette conversation du dîner m'a poursuivie dans la nuit.

J'ai fait un cauchemar atroce. Ça se passait sur un terrain de foot au bord d'un précipice et j'étais poursuivie par un troupeau… de frères. Ils avaient tous la tête de Vic et de JM et ils étaient des milliers.

Chapitre 3 : Rayon croquettes

Le lendemain, Kévin a été… pas comme d'habitude. Un peu… j'ai du mal à le dire mais il faut bien que je le dise quand même : un peu comme s'il cherchait à m'éviter. En récré, à la cantine, chaque fois que je voulais lui parler, il filait comme une anguille.

Je n'ai pas mis longtemps à me douter que c'était parce que je l'avais vu pleurer. Quand on y pense (et je n'ai pensé qu'à ça toute la journée), c'est super facile à comprendre : Kévin est un genre de héros.

Premier en tout, et tout et tout. Les héros ne doivent pas pleurer. Ou si par hasard ils pleurent, il faut que ce soit en secret. Personne ne doit le voir. Ni le savoir. Donc primo : Kévin avait honte. Et deuzio : il avait peur que je raconte. À qui ? À JM par exemple, qui est dans le même CM1 que lui et pas le roi des gentils-gentils (plutôt le contraire). Ou à ma meilleure amie, Chloé Cœurjoli, qui est belle comme un bouquet de fleurs mais pipelette comme… comme au moins dix pipelettes.

À la sortie, j'ai couru guetter Kévin, passage du Court-Bouillon, une ruelle toute étroite qu'il prend pour rentrer chez lui. Je voulais lui parler en privé. Lui seul sur le trottoir. Moi seule en face de lui. Les yeux dans les yeux sans qu'il puisse se faufiler ni se défiler.

À 16 h 33, il est apparu. Je me suis cachée derrière une camionnette. Quand il est arrivé à ma hauteur, j'ai bondi et parlé d'un seul trait :

– Kévin, il ne faut pas t'inquiéter : ce qui s'est passé mercredi dernier entre TOI et MOI rue des Écrevisses, la confidence que tu m'as faite et les larmes qui allaient avec, ça reste entre TOI et MOI. Je n'en ai parlé à personne et je n'en parlerai à personne, promis-juré !

Son doux visage s'est éclairé d'un grand sourire :

– Chère Angèle, tu n'imagines pas à quel point ce que tu me dis me soulage ! Comment as-tu deviné que ça m'inquiétait ?

J'ai pris mon petit air malin :

– Je suis pyschologue hé hé !

– On dit *psy*chologue, pas *pys*chologue, il a corrigé.

Kévin connaît plein de mots de vocabulaire. J'ai ri comme si j'avais fait exprès de me tromper et que je n'étais pas du tout vexée.

– PSYYYchologue bien sûr, ha ha, c'était une blague, je voulais voir si tu t'en apercevrais !

Il n'a pas eu l'air de flairer l'embrouille. Il a même eu l'air de me trouver drôle.

– Tu fais quoi, là maintenant ? il m'a demandé.

– Euh… Rien de spécial…

Il m'a proposé de venir avec lui acheter à manger pour Duchesse, sa chatte angora, chez Consomax (le plus grand supermarché de Rigoville). Bien sûr, j'ai dit oui.

On cherchait les croquettes multi-vitaminées-saumon-épinard de la marque Minoustar, les seules que Duchesse accepte de manger (elle est ultra-méga-difficile), quand on a entendu des pleurs :

– Mou hou hou… Bou hou hou…
Ça venait de derrière, rayon litière.

On s’est approchés et là, on a vu QUOI ?

Ou plutôt QUI ?

Un petit garçon. Tout frisé. Tout mignon. Tout seul.

Je me suis baissée à sa hauteur :

– Hé ben hé ben, ne pleure pas comme ça, bout de chou !

– Mou hou hou… Bou hou hou…

Kévin s'est baissé aussi :

– Comment t'appelles-tu ?

Le petit nous a dévisagés, chacun notre tour.

Ses yeux bleus étaient rouges à force de larmes.

– Mou hou hou… Bou hou hou…

– Comment tu t'appelles ? C'est comment ton nom ? j'ai répété.

Il a ravalé un énorme sanglot :

– Zo-ho-ky !

– Zo-ho-ky ? a répété Kévin.

– NAN ! Zoky !

– Jacky ? Tu t'appelles Jacky ? j'ai tenté.

– NAN ! Zo-ky !

– Zaccharie, peut-être ?

Le petit s'est remis à pleurer :

– Mou hou hou… Bou hou hou… Veux pou-hou-ta-ha-ache !

Chapitre 4 : Tour de manège

Pou-tache ! Pou-tache ! Pou-tache ! Je ne sais pas COMBIEN de fois Zoky a répété ce mot incompréhensible. On a regardé aux alentours si quelqu'un avait l'air de réagir, de le chercher. Personne. Et le petit qui braillait de plus belle. Pou-tache ! Pou-tache ! On a essayé plein d'explications :

★ Tu as des poux, Zoky ? Ça te gratte la tête ?

– NAN !

★ Tu as fait une tache sur ta salopette ? C'est ça qui t'embête ?

– NAN !

★ Poutache... c'est le nom de ton doudou ? Tu as perdu ton doudou ?

– NAN !

★ Tu veux des pistaches, Zoky ? Tu aimes les pistaches ?

– NAN !

Kévin a beau être champion de vocabulaire, il ne comprenait pas mieux que moi...

★ Et une glace à la pistache ? Tu aimerais manger une glace à la pistache ?

J'ai lancé ça au hasard... Gagné ! Le petit m'a tendu les bras :

– OUIII !

– C'est fou comme tu comprends les enfants, Angèle, c'est... fantastique ! a dit Kévin.

J'ai rougi sous ce follement fantastique

compliment mais Kévin n'a rien vu parce que je me suis baissée juste à ce moment-là pour prendre Zoky dans mes bras. Il est lourd comme un bébé-éléphant, ce petit gars, entre nous soit dit.

Pour la glace, Kévin a proposé d'aller chez Mulotin, le meilleur pâtissier de Rigoville (et le plus cher aussi).

– Mais… et les croquettes de Duchesse ? j'ai demandé.

Normalement, Kévin fait passer sa chatte angora avant tout ce qui existe au monde* mais là, ça a été le contraire : il a répondu qu'elle finirait les restes et qu'il reviendrait acheter des croquettes demain. Je l'ai prévenu que je n'avais pas d'argent. Il m'a répondu que no problemo, sa mère lui avait donné 10 € pour les croquettes et qu'avec ça on aurait de

* Voir : *Cucu la praline est en pleine forme* (Folio Cadet n° 566).

quoi se payer une glace chacun. Je me suis demandé comment il ferait pour réclamer 10 nouveaux euros à sa mère demain mais je n'ai rien dit, ce sont ses oignons, pas les miens, ma vie est déjà assez compliquée comme ça.

Le soleil brillait. Zoky ne pleurait plus. Il marchait entre nous dans la Grande-Rue. Je tenais sa main gauche. Kévin sa main droite. Les gens nous regardaient comme si on était sa maman et son papa.

Kévin s'est mis à chanter :

Un kilomètre à pied, ça use-eu ça use-eu
Un kilomètre à pied, ça us-eu les souliers

Je connais cette chanson bien sûr. C'est un grand classique.

J'ai entonné le deuxième couplet en duo avec Kévin :

Deux kilomètres à pied, ça use-eu ça use-eu
Deux kilomètres à pied, ça us-eu les souliers

Du coup, Zoky nous a imités :

… cra… pié… euzeuzeu…

… cra… pié… yéyéyé…

C'était… comment dire… follement fantastique. Et merveilleux.

Comme parfum de glace, j'ai pris citron, forcément. Kévin : vanille, évidemment. Zoky n'a pas aimé pistache, finalement.

Je lui ai fait goûter citron. Il a tout fini. Kévin lui a fait goûter vanille. Il a tout fini aussi. Kévin et moi on a partagé ce qui restait de pistache. La glace avait pas mal fondu mais Zoky était content, c'était le plus important.

En sortant de chez Mulotin, comme on longeait le square des Champions, Kévin a lancé :

– Et si on faisait un tour de manège ?

– OUIII ! OUIII ! OUIII ! a crié Zoky en sautant sur place comme un bébé-kangourou.

– Toi aussi tu comprends les enfants ! j'ai glissé à l'oreille de Kévin.

Il a rosi. Je l'ai vu, MOI ! On s'est assis de chaque côté de Zoky sur la banquette du carrosse royal. Pendant tout le tour de manège, le petit battait des pieds de joie et quand ça s'est arrêté il a hurlé :

– EN-CO… EN-CO !!!

C'est à ce moment-là que j'ai vu un gendarme marcher vers nous d'un pas pressé.

Il nous a demandé nos âges, nos adresses et si Zoky était notre frère ou quelqu'un de notre famille. Comme on a répondu que non, il nous a bombardés de questions sur son nom, son âge, son adresse et comme on ne savait pas répondre, il a sorti un genre de téléphone-talkie-walkie :

– Brigadier Rogodin en ligne. Appelle capitaine Lafleur.

Kévin était blanc comme un navet. En tant que héros, il supporte mal d'être interrogé par un gendarme, c'est logique. Mais comme Kévin n'est pas un lâche, il est resté droit, courageux et il m'a même dit, sans voix, juste avec les lèvres :

– N'aie pas peur, Angèle, je suis là !

Je n'avais pas peur mais c'est très gentil quand même. Zoky se serrait contre moi en suçant son pouce. Soudain, une grosse voix a crié :

– Joachim !

Le petit a tourné la tête :

– Poutache !

Un papy en survêtement, chauve avec des grosses moustaches, a soulevé Zoky comme un jouet :

– La peur que tu m'as faite, garnement !

– Poutaaache ! a répété le petit en plaquant ses mains sur les joues du vieux.

Ça m'a fait une boule de tristesse dans

la gorge. J'ai regardé Kévin. Ses yeux brillaient…

– Je suis son grand-père, on m'appelle Papoustache à cause de mes moustaches, mais Joachim a encore un peu de mal à le prononcer… a expliqué le papy.

Merci, on avait remarqué. À part ça, il est plutôt gentil, le papy. Il nous a beaucoup beaucoup remerciés. Il nous a même embrassés. Puis grondés avec le gendarme parce qu'on aurait dû amener Zoky à l'accueil du supermarché au lieu de partir en balade. On a dit qu'on avait compris. Kévin s'est même excusé. Au moment de se dire au revoir, il s'est passé un truc incroyable :

– Mou hou hou… Bou hou hou…

Zoky s'est remis à pleurer : il ne voulait pas nous quitter !

On l'a consolé, câliné, on a échangé nos adresses avec Papoustache et promis de venir voir Zoky bientôt.

– Toussuite ? il a demandé.

– Non, pas là-tout-de-suite-maintenant mais… mettons… mercredi prochain ? a proposé Kévin en me regardant.

– Oui oui absolument ! j'ai confirmé.

Sur le chemin du retour, j'ai dit à Kévin :

– Ça te fera un peu comme un petit frère, en un sens…

Il s'est arrêté de marcher pour réfléchir.

– En un sens oui… Toi aussi…

– Sauf que moi, côté frères, je suis déjà servie !

– Ça c'est sûr ! a conclu Kévin.

3. Bateau allô

Chapitre 1 : La première de la classe

La première de la classe qui en a eu un, c'est pas la 1re de la classe. C'est même une des dernières. Je m'explique. Il s'agit de téléphone portable. La première qui en a eu un dans ma classe, c'est Rosita Pilon, une fille rousse qui rêve tout le temps et qui suce son pouce, souvent avec un chiffon.

C'était le vendredi 13 juin, je m'en souviens. Pourquoi je m'en souviens ? Parce que dès que Rosita a sorti le téléphone de son cartable, Youssef Maroglou, mon voisin, lui a crié :

– Il est à TOI ? Ouaaaah, la chance !

– Normal, on est vendredi *13*, jour de chance ! a rigolé Bertrand.

Le cri de Youssef a attiré les copains comme des mouches.

– Vas-y, tu me le prêtes ? a commencé Léo.

– Il est à carte ou à forfait ? a demandé Violette.

– Tu peux appeler en Amérique avec ? a voulu savoir Jonathan.

– Moi je vais en avoir un pour Noël !

– Moi pour mon anniversaire ! ont continué Samantha et Leïla.

– Moi aussi ! a annoncé Ugo, mais le mien en plus il pourra aller sous l'eau et en plus il fera boussole et aussi Internet et aussi caméra et aussi…

Youssef l'a poussé du coude :

– Arrête de frimer ! (il a eu raison : Ugo

Minais est toujours en train de ramener sa fraise, c'est énervant à force).

Édith a mis son grain de sel :

– Moi mon grand frère il a un portable mais quand il voit que c'est papa ou maman qui appelle, il décroche pas !

– Moi j'en ai un depuis longtemps… a dit Chloé, ma meilleure amie.

(Elle est une des plus gâtées de l'école, sauf qu'elle, au moins, elle ne frime pas, ou disons : pas trop. Elle a eu son téléphone à Noël. Elle n'en a parlé à personne. Sauf à moi. Normal : je suis sa meilleure amie. Ça m'a rendue MÉGA-JALOUSE mais je ne l'ai pas laissé voir, je lui ai dit que j'étais contente pour elle. Normal : je suis sa meilleure amie.)

– Moi mes parents ils refusent de m'en acheter j'en ai marre ! a soupiré Justine.

– Les miens aussi et ils ont raison parce que ça envoie des mauvaises ondes, a expliqué Xavière Cerveau, la vraie 1re de la classe.

– QU'EST-CE QUI SE PASSE ? a fait la voix de la maîtresse.

Mlle Pointu venait d'entrer. Elle a foncé vers nous en faisant claquer ses talons :

– Hé bien ! Qu'y a-t-il de si intéressant par ici, mmmhhh ?

Elle a plongé sur Rosita comme une mouette qui pêche dans la mer.

Sauf qu'à la place d'un poisson, elle a attrapé le téléphone :

– Mademoiselle Pilon a un téléphone portable ! Je savais que ça allait arriver à l'un d'entre vous un jour où l'autre ! Un portable en CE2 ! Nous vivons une époque épique ! QUI t'a fourni cet engin ? a demandé Mlle Pointu en faisant les gros yeux.

Rosita n'a pas eu l'air de comprendre. À mon avis « fourni » et « engin » sont des

mots trop difficiles (elle demande tout le temps l'explication des mots mais là, vu les gros yeux de la maîtresse, elle n'a pas osé).

– Ce sont tes parents qui t'ont donné ce téléphone? a répété Mlle Pointu comme si elle parlait à une simplette.

Rosita a haussé les épaules:

– Ben… Oui!

– Ne hausse pas les épaules s'il te plaît! Tu diras de ma part à tes parents que les téléphones ne sont pas autorisés dans l'enceinte de l'établissement. Pas ENCORE ! Nous avons ce privilège. J'espère que nous le conserverons tant que je serai en activité ! En attendant, ton téléphone, je le GARDE. Je te le rendrai à l'heure de la sortie. Et je ne veux plus JAMAIS le voir en classe, compris ?

– Ça veut dire que vous le con... con... fisquez ? a fait Rosita d'une voix tremblante.

– Absolument ! Jusqu'à ce soir ! Excellente utilisation du verbe CONFISQUER, tu progresses en vocabulaire !

Rosita a regardé son téléphone disparaître dans le tiroir de Mlle Pointu, d'un air triste comme un cimetière. Quand on a été assis, la maîtresse a demandé QUI aimerait posséder un téléphone portable. J'ai failli lever le doigt mais comme personne n'a bougé, je n'ai pas bougé non plus.

Chapitre 2 : Rigoville, ville fleurie

Le premier qui en a parlé au dîner, ce n'est pas moi. C'est Victor, mon frère qui a 11 ans et qui se prend pour le roi du monde depuis qu'il est en sixième, entre parenthèses.

Papa venait de poser une quiche sur la table quand Vic a annoncé :

– Si ça continue je vais être le DERNIER de ma classe…

Maman a sursauté :

– Pardon ?

– ... à avoir un téléphone portable : on n'est plus que sept à pas en avoir !

À mon avis, Vic avait calculé son coup de dire sa phrase très lentement pour faire peur aux parents qui adorent qu'on ait des bonnes notes, surtout Maman. Elle a levé les yeux au ciel :

– Jusqu'à QUAND est-ce que tu vas nous bassiner avec ça ?

(Ça fait je-sais-pas-combien-de-fois que Vic réclame un téléphone.)

Mon frère a eu un sourire en coin :

– Ben jusqu'à ce que vous m'en achetiez un, tiens tiens !

Papa a tapé sur la table :

– Ne fais pas le malin, Victor ! Ce n'est pas comme ça que tu arriveras à tes fins, je te préviens !

– Si Vic a un portable, moi aussi j'en veux un ! a embrayé Mad Max.

J'ai décidé de mettre mon grain de sel.

C'est vrai à la fin. Ce n'est pas parce que je suis la plus jeune, et une fille, et blonde, que je dois me dégonfler comme une mauviette, hé ho :

– Dans ce cas-là, si les garçons ont des portables, moi aussi j'en veux un ! Y a pas de raison. Ma copine Chloé Cœurjoli, elle en a un depuis Noël ! Et même Rosita Pilon, la plus nulle de la classe ! (Je n'ai pas parlé de Kévin qui a un portable aussi, il me l'a déjà montré.)

Papa s'est pris la tête entre les mains. Trèèès mauvais signe.

– Driiing ! Driiing !

Pile au même moment, le gros téléphone gris qui est posé sur le buffet s'est mis à sonner. Maman s'est levée pour répondre.

– Laisse ! a crié Papa en se jetant sur le téléphone comme un lion sur une gazelle.

« Ben dis donc, qu'est-ce qu'il va

prendre, celui qui appelle ! » j'ai pensé dans ma tête.

Et là : SURPRISE. Ça a été tout le contraire. Après avoir grogné « Allô », Papa a fait un grand sourire, comme s'il était de bonne humeur :

– Ooohhh ! Quelle bonne surprise ! Comment allez-vous Monsieur Granet ?

Monsieur Granet est le maire de Rigoville (la ville où on habite).

– Aaahhh ! Un succès ? Médaille de Bronze ? Quelle bonne nouvelle !

JM a commencé à chantonner :

– Gra-net-Gros-Nez !

– Ma-dame-Gra-net-Gros-né-nés ! a enchaîné Vic en canon.

Je n'ai pas pu m'empêcher de rigoler derrière ma serviette. Mes frères ont beau être MÉGA-PÉNIBLES, parfois ils sont quand même un peu marrants j'avoue, mais quand ils me font rire, je me cache sinon ils deviennent MÉGA-FIERS-D'EUX et encore plus MÉGA-PÉNIBLES.

Maman n'a pas eu l'air de les trouver marrants, en tout cas.

Elle a fait le geste de leur donner une claque.

– Ooohhh ! Demain samedi, à déjeuner ? a continué Papa. C'est vraiment très aimable de votre part Monsieur Granet, merci infiniment et toutes mes amitiés à Madame Granet également…

Papa souriait encore quand il s'est rassis avec nous. Comme s'il avait complètement oublié la discussion sur les portables.

– C'était MONSIEUR LE MAIRE ! il a dit (un peu du même ton que s'il disait MONSIEUR LE BON DIEU). Le concours RIGOVILLE, VILLE FLEURIE a été un succès. On est médaille de bronze du département !

Maman a hoché la tête :

– Il faut dire qu'on s'est donnés à fond

pour ce concours, tu te souviens, Patrick ? On a fini le mois d'avril sur les rotules !

C'est vrai. Mes parents ont tellement travaillé pour fleurir les rues (ils sont fleuristes, je l'ai déjà dit mais vous avez peut-être oublié) que Mémé Chambar est venue nous garder plein de soirs jusqu'à minuit au moins.

Papa a envoyé un baiser à Maman à travers la table :

– L'heure de la récompense a sonné, chérie ! MONSIEUR LE MAIRE nous félicite et nous invite à déjeuner, chez lui, demain, en famille, AVEC LES ENFANTS...

Papa et Maman se sont tournés vers nous en même temps :

– Vous entendez ça ?

– Il va falloir être au top !

– À cent pour cent !

– Tous les trois !

Chapitre 3 : Déjeuner chic

Le lendemain, Maman nous a réveillés à 8 heures, presque aussi tôt que s'il y avait école. Elle nous a surveillés pendant qu'on prenait notre douche (souvent mes frères font couler l'eau mais ils ne se mettent pas dessous). Il a fallu qu'on fasse chacun un shampooing.

Et qu'on se coupe les ongles. Des mains. Et des pieds.

JM a demandé si le maire allait nous vérifier les orteils. Maman a fait chut. Elle était énervée, ça se voyait.

Quand j'ai proposé de composer une chanson en l'honneur de M. et Mme Granet (je chante très bien et j'adore chanter), Papa a dit :

– Non merci Angèle, on n'a pas le temps !

Ça m'a paru bizarre. Il n'était que 8 h 47 à ma montre super chouette (elle marque les secondes et elle fait chronomètre).

Après le petit déjeuner, Papa et Maman nous ont dit de rester à table.

– Pour quoi faire ? j'ai demandé.

– Tu vas bien voir !

On a fait une grande révision de POLITESSE.

Règles qu'on a apprises et récitées :

★ On ne parle pas à table.

★ Sauf si M. ou Mme Granet nous posent une question. Dans ce cas, on répond.

★ Mais INTERDIT de parler la bouche pleine.

★ On ne met pas ses coudes sur la table.

★ On ne s'assied pas avant les hôtes.

JM a fait des yeux ronds :

– Lesquels z'autres ?

Vic a haussé les épaules :

– Les hôtes H.Ô.T. E. S, ceux qui nous invitent, tête de cake !

– Du calme ! a ordonné Papa.

Et on a continué :

★ On ne pioche pas de pain dans la corbeille.

★ On ne sauce SURTOUT pas son assiette.

★ On pousse avec du pain ou avec son couteau.

★ JAMAIS avec les doigts.

– Mais si on n'a pas le droit de prendre du pain comment on fait ? j'ai demandé.

– Je vous en passerai ! a dit Maman.

★ On mange tout ce qu'on a dans son assiette.

★ Si on n'aime pas, on finit quand mêmc.

★ Si on aime, on n'en redemande pas.

– Ah ben d'accord, c'est cool chez les Gros-Nez ! a soupiré Vic.

Ce coup-là, il a pris sa claque. Par Papa. Petite claque, mais quand même : ça lui a coupé le sifflet.

À 9 h 51, le cours de politesse durait toujours.

On a étudié le cas où on aurait des artichauts à manger, en mimant un artichaut avec une pivoine du jardin.

On a aussi fait des exercices avec des allumettes sur comment cracher une arête de poisson sans la toucher.

Quand on a ENFIN terminé, Maman s'est mise à choisir nos habits.

★ Moi pas de problème : robe de princesse à pois.

★ Pour mes frères : pantalons gris, chemises blanches et nœuds papillon de l'anniversaire des 60 ans de Mémé Chambar.

– Ils grattent, ces frocs ! a râlé Victor.

– On dit « pantalons » ! a corrigé Maman.

JM a soufflé comme un ballon :

– Pffff ! On va avoir mille fois trop chaud en plus !

– Mais non, au bord de la mer, il y a de l'air !

M. et Mme Granet habitent une maison juste devant la plage.

On y est allés en camionnette, c'est à 5 km de chez nous. Je n'ai jamais vu une maison aussi grande. Surtout qu'ils ne sont que deux dedans.

Les Granet n'ont pas d'enfants. Maman dit que c'est le drame de leur vie. Ils n'ont pas l'air dramatiques, je trouve.

M. Granet a un gros ventre, un gros nez (j'en ai déjà parlé) et il sourit souvent. Sa femme a un chignon en forme de choucroute, un collier de perles et elle sourit encore plus souvent que son mari…

À 13 h 33, on n'avait même pas fini de visiter toutes les pièces.

Maman et Mme Granet faisaient des commentaires sur chaque rideau, chaque chaise, chaque bibelot.

À 13 h 49, Victor a bâillé comme un hippopotame.

– Je crois que ces enfants ont faim ! a dit Mme Granet.

– Gagné ! a approuvé JM.

Maman lui a fait les gros yeux.

À table, ça a commencé par des crevettes. Juste le truc que les parents ne nous avaient pas fait réviser (pourtant, au bord de la mer, ça risquait de tomber au menu, quand on y réfléchit bien).

Mes frères détestent. Moi j'adore, pas de souci.

Enfin si, un souci quand même : quand Vic et JM ont vu les crevettes débarquer dans leurs assiettes, ils se sont mis à se tortiller pire que des crevettes vivantes.

Le maire les regardait bizarrement.

– ÇA VA, les enfants ? il a demandé de sa grosse voix.

Papa a répondu avant mes frères :

– Très très bien !

Mme Granet a souri :

– Ça n'a pas l'air ! J'ai l'impression que vos garçons préféreraient que je leur fasse de bons sandwichs au jambon ou au saucisson et aller les manger sur la plage, pas vrai ?

– OH OUI OUI OUI ! ont fait Vic et JM en chœur.

– Mais... mais... a bafouillé Papa.

Mme Granet a déclaré que les enfants étaient ROIS.

Ça lui a coupé le sifflet (à Papa, ce coup-là).

Puis la femme du maire s'est tournée vers moi :

– Et toi, Angèle, tu veux suivre tes frères sur la plage avec un sandwich ?

Puisque j'étais reine, j'ai dit que OUI mais qu'au lieu de sandwich j'aimerais mieux emporter mes crevettes dans un sachet.

Mme Granet nous a gentiment préparé un panier-pique-nique-ultra-complet. Avec une bouteille de limonade, une boîte en plastique pleine de fraises et même une bombe de Chantilly.

La tête de mes parents ! On aurait dit un couple de crabes coincés dans les mailles d'un filet.

– Attendez 16 heures pour vous baigner ! a lancé Papa quand on est partis.

On a promis-juré.

Chapitre 4 : Étoile des mers

À la plage, le soleil tapait comme un marteau.

On s'est assis sur des rochers.

Quand j'ai sorti mes crevettes, Vic et JM ont poussé des cris :

– Pouark ! Beurk ! Dégueu ! Comment tu peux manger ces bêtes horriiibles ?

Je me suis installée dans un coin tranquille pour déguster mes crevettes en paix. J'ai vu mes frères courir, leurs sandwichs à la main, au loin… Tellement au loin qu'à la fin je ne les ai plus vus.

Enfin la paix ! Mais au bout de 3 minutes, ils sont revenus, tout excités :

– On a trouvé un super bateau, viens Angèle, on part faire un tour !

– Ça va pas la tête ? On n'a pas le droit de se baigner !

JM m'a pris le bras :

– On se baigne pas : on fait du bateau, viens !

– Allez-y si vous voulez, moi je reste là, je déguste mes crevettes…

Vic a attrapé mon autre bras :

– Tu VIENS ! T'as pas le choix ! On t'embarque ! Sinon : tu vas nous cafter, on te connaît !

J'aurais pu essayer de courir vers la maison pour les cafter tout de suite. Mais ça n'aurait servi à rien : ils courent plus vite que moi.

Le bateau s'appelait ÉTOILE DES MERS. C'était une barque, pas neuve du tout, en bois peint, rouge en bas, vert au-dessus, avec deux rames, une jaune et une bleue.

On a poussé le bateau dans l'eau. Dès qu'il a flotté, on a sauté dedans. Mes frères se sont mis chacun à ramer d'un côté. Moi je me suis assise à l'avant. Le bateau s'est éloigné du bord en clapotant. C'était assez… comment dire… magique.

Vic et JM transpiraient à grosses gouttes. Au fil des vagues, je me suis sentie de plus en plus comme une reine. La reine des sirènes.

Ça m'a inspiré une chanson :

Je suis la reine des sirènes-rènes-rènes
Je flotte au fil de l'eau-wap-douh-houa
Je suis la reine des sirènes-rènes-rènes
Je vogue sur mon bateau-wap-douh-houa

Je l'ai fredonnée dans ma tête. Puis à voix basse. Mes frères n'ont pas réagi. Ils étaient hyper concentrés sur leur ramage ou leur ramerie, je ne sais pas comment on dit. D'habitude dès que je chante, ils protestent. Là, rien. Ça m'a donné des ailes. Je me suis levée et j'ai chanté à tue-tête, de tous mes poumons. Avec le vent dans mes cheveux : un moment inoubliable !

Ça n'a pas duré longtemps, malheureusement. Le vent qui soufflait dans mes cheveux, il soufflait aussi sur l'eau et ça faisait des vagues. Le bateau montait, descendait : impossible de rester debout.

Le ciel s'est assombri comme dans un film en accéléré.

– Hééé fais gaffe ! T'es nul ou quoi ? a soudain crié Victor.

Mad Max s'est précipité à droite. J'ai cru que la barque allait chavirer.

– Je l'ai pas fait exprès !

Sa rame, la jaune, finissait de s'enfoncer dans l'eau.

J'ai senti l'inquiétude faire un nœud dans mon estomac.

– T'as laissé tomber ta rame, JM ?

Il pleurait presque :

– Je l'ai PAS laissée tomber, elle m'a ÉCHAPPÉ, andouille !

– C'est toi l'andouille ! a braillé Vic en voulant lui donner un coup de rame (bleue).

– Ouille ! j'ai crié.

Le coup, c'est moi qui l'ai pris sur la tête.

– Tu veux m'assommer, qu'est-ce qui te prend ? j'ai hurlé.

À gauche. À droite. Le bateau valdinguait de plus en plus.

JM est devenu blanc comme une feuille de cahier :

– J'ai la trouille ! On va mourir !

Vic était plutôt vert que blanc. Moi, je ne sais pas de quelle couleur j'étais, mais pâle, c'est clair.

C'est alors qu'on a entendu un bruit de moteur.

Un bateau fonçait vers nous.

– Gros Nez à la barre !

J'ai été la première à le voir. Il avait une casquette de capitaine. Papa était à côté de lui. Ils nous ont lancé une grosse ficelle pour nous tirer jusqu'à la plage. Mme Granet et Maman nous attendaient, aussi paniquées l'une que l'autre.

Je ne vais pas m'étendre sur le sermon qu'on a pris. Ils s'y sont mis tous les quatre : Papa, Maman et les deux Granet.

En remontant vers la maison, la femme du maire a dit :

– Si ces enfants avaient eu un téléphone, ils auraient pu nous appeler…

Victor a retrouvé ses esprits :

– Ça, je l'ai dit mille milliards de fois à mes parents !

Papa et Maman ont échangé un regard sombre. Si on n'avait pas été avec les Granet, Vic aurait pris une deuxième baffe, c'est sûr. Et plus forte que la précédente.

– Nous allons y réfléchir, a promis Papa d'un air… d'un air… de penser le contraire.

Mme Granet s'est tournée vers son mari :

– Qu'est-ce que tu en dis, Albert ?

– Moi je suis entièrement d'accord ! s'est exclamé Jean-Maxime.

Maman lui a serré très fort le bras :

– Tu t'appelles Albert ?

– Ce que j'en dis ? a souri le maire. Hé bien j'en dis que ces enfants sont de leur époque, ce qui est plutôt bon signe, mais ce type de décision revient à leurs parents, or nous ne sommes pas leurs parents, Simone…

– De toute façon, a tranché Papa. Si nous achetons un téléphone portable pour les enfants, c'est MOI qui le garderai, ils le partageront sous mon CONTRÔLE, à condition qu'ils le MÉRITENT par un comportement IM-PEC-CA-BLE !

Ben dis donc, c'est pas demain la veille que je pourrai envoyer des messages secrets à Kévin, moi…

Benjamine d'une fratrie de huit (dont six garçons), **Fanny Joly** vit à Paris avec son mari architecte. Elle a publié plus de 200 livres pour la jeunesse, chez Bayard, Casterman, Hachette, Gallimard Jeunesse, Lito, Mango, Nathan, Flammarion, Pocket, Retz, Sarbacane, Thierry Magnier...
Ses livres sont souvent traduits et ont remporté de nombreux prix. Deux de ses séries jeunesse (*Hôtel Bordemer* et *Bravo Gudule !*) ont été adaptées en dessin animé. Elle est également romancière, nouvelliste, auteur de théâtre, scénariste pour le cinéma et la télévision.
Sous la torture, elle a avoué un jour que la série *Cucu la praline* est sans doute le plus autobiographique de ses écrits...
Vous pouvez consulter son site : www.fannyjoly.com

Ronan Badel est né le 17 janvier 1972 à Auray en Bretagne. Diplômé des arts décoratifs de Strasbourg, il s'oriente vers l'édition jeunesse comme auteur et illustrateur. Il publie son premier ouvrage aux éditions du Seuil Jeunesse en 1998. Après plusieurs années à Paris où il enseigne l'illustration dans une école d'art, il retourne s'installer en Bretagne pour se consacrer à la création d'albums pour enfants. En 2006 il publie sa première bande dessinée, *Petit Sapiens*, dont il signe les textes et les dessins.

Cucu la praline
Folio Cadet n° 540

Moi, Angèle Chambar, j'adore : m'habiller en rose, les bonbons, les glaces et Machouillou, mon lion-doudou qui me suit partout. Mais je déteste qu'on m'appelle Cucu la praline. C'est mes frères qui m'ont donné cet affreux surnom sauf que j'ai du caractère. Pas question de me laisser faire ! Dans ce carnet secret, tu verras bien que je ne te raconte pas de bobards.

Cucu la praline est en pleine forme
Folio Cadet n° 566

Coucou, c'est moi, Cucu la praline. Je suis en pleine forme. Un : j'ai décidé d'avoir un animal, que cela plaise ou non à ma famille. Et un chien perdu dans la rue, c'est une sacrée aubaine, non ? Deux : la vengeance est un plat qui se mange froid et de ce côté-là mes frères vont être servis. Trois : quand on fait du théâtre à l'école, je suis prête à tout pour décrocher le rôle de la princesse, croyez-moi !

Cucu la praline s'envole
Folio Cadet n° 584

À QUI la faute si mon amoureux m'a brisé le cœur ? Et QUI a eu l'idée cinglée de transformer le lapin chéri de mon amie Chloé en numéro de cirque ? Réponse : mes affreux frères. Mais MOI, Angèle Chambar, je n'ai pas dit mon dernier mot, ni chanté ma dernière note. J'ai formé un duo de choc avec Mémé et préparé une méga surprise. De quoi faire chanter mes frères à MA manière !

Cucu la praline se déchaîne
Folio Cadet n° 601

Comment faire signer ma dictée pimentée d'un zéro pointé ? Ce n'est sûrement pas mes affreux frères qui vont me souffler une idée ! Si seulement j'avais pu éviter de tomber dans leur piège pendant la balade à vélo. Mais en sabotant le violon de mon amoureux, ils ont dépassé la mesure. Moi, Angèle Chambar, je ne suis pas une praline rose et la punition sera exemplaire !